D0230433

Malika Ferdjoukh

La fiancée du fantôme

Illustrations d'Édith

l'école des loisirs

11, rue de Sèvres, Paris 6e

Ce texte est paru en 1990 aux éditions Syros, sous le titre
Le fantôme de Forest Lodge

ISBN 978-2-211-21027-0

*Loi n° 49.956 du 16 juillet 1949 sur les publications
destinées à la jeunesse : novembre 2011
Dépôt légal : juin 2013
Imprimé en France par Clerc à Saint-Amand-Montrond*

Édition spéciale non commercialisée en librairie

Pour Samuel Beer,
petit bonhomme de lettres…
(1990)

… devenu grand.
(1998)

Quel est celui qui vient
si hardiment en notre présence ?
Shakespeare

Écoutez ce qui arriva à la famille March lorsqu'elle s'installa à Forest Lodge, belle demeure perdue en plein cœur de l'Écosse.

C'était il y a très longtemps.

Par un soir d'automne frissonnant et glacial…

Une diligence filait sur une route solitaire, emportant la famille March vers sa nouvelle maison. Il y avait là papa Reginald, grand-papa March, cousine Olivia, Horace et la gouvernante miss Noah.

Un arrêt brusque réveilla Horace March au milieu d'une lande ébouriffée par les vents.

– On est arrivés ? murmura-t-il.

Cousine Olivia l'enveloppa de sa douce voix de soie :

– Pas encore. Nous allons changer de voiture, celle-ci continue sur la grand-route.

Elle embrassa le petit garçon et descendit de la diligence. Le vent faisait battre sa jupe, sa cape et ses longs cheveux.

Par la portière, Horace aperçut la masse sombre d'une auberge. Sous l'enseigne qui grinçait, quelques silhouettes s'agitaient.

– Jim ! cria l'aubergiste. Tu vas accompagner ces messieurs et dames à Forest Lodge.

L'interpellé (un jeune garçon de l'âge d'Horace) enjamba un enclos où des oies, réveillées par le tapage, sifflaient aussi fort que le vent.

– Moi ? s'écria le garçon. À Forest Lodge ? ! ! !

Horace aurait juré que les cheveux du dénommé Jim venaient de se dresser sur sa tête mais que le vent n'y était pour rien.

Bougonnant, Jim obéit néanmoins. Sous les rafales qui redoublaient, il chargea les bagages dans un phaéton et prit les rênes tandis que papa Reginald, cousine Olivia, grand-papa March, la gouvernante miss Noah et Horace, enfin, y prenaient place.

Ils roulèrent le long de collines grises et de lacs silencieux. Horace constata qu'une fléchette dépassait de la poche de Jim et se promit de faire plus ample connaissance avec ce garçon qui semblait apprécier les amusements simples de la vie.

– Ce lac, au fond du vallon, c'est un loch, dit la gouvernante miss Noah.

Même la nuit, songea Horace, cette vieille chouette ne perdait jamais une occasion de faire la classe !

Il fixa la drôle de jupe plissée derrière, toute plate devant, de Jim.

– C'est un kilt, annonça miss Noah, imperturbable. Les hommes portent cela en Écosse.

Horace n'eut pas le temps de soupirer.

– Forest Lodge ! cria Jim à tue-tête.

Il cracha l'espèce de gomme qu'il mâchonnait depuis le début et répéta : « Forest Lodge ! »

À la seconde, la lune disparut. La nuit devint très noire et le vent enfla. La colline glissa comme un rideau et la nouvelle maison de la famille March se découpa sur des ciels de nuages mauves.

C'était, en vérité, une fort jolie demeure, presque un château, dont les tourelles se dressaient comme des

gardiens de pierre au-dessus des bruyères.

– Tout le monde dort, on dirait ! s'écria papa Reginald.

Ils descendirent, courbant le dos sous le vent. Jim restait prudemment à l'arrière, l'air de craindre une catastrophe. Une bourrasque souleva le pan de son kilt, découvrant une paire de genoux bien solides.

– À cette heure, murmura cousine Olivia, les domestiques ne doivent plus nous attendre.

Papa Reginald glissa une énorme clef dans une énorme serrure.

Au même moment, le tonnerre gronda, l'éclair éteignit les étoiles.

Dans la maison, une lueur lécha les vitres à losanges et la porte cloutée s'ouvrit sur une dame grassouillette, emmitouflée dans un tartan de laine :

– Par saint George et saint Hubert réunis ! grommela-t-elle. Entrez donc !

La famille March, miss Noah et Jim s'engouffrèrent dans le hall de Forest Lodge.

– Le thé est encore chaud, dit la dame grassouillette. Eh, Johnnie vieux tonneau, allume la cheminée !

Le vieux « tonneau » était un échalas tout sec. C'était aussi le mari de madame Cook. Madame Cook, comme son nom l'indique, était la cuisinière de Forest Lodge et, sauf son respect, méritait, plus que son époux, le surnom de « tonneau ».

– Au revoir Jim, dit la voix suave de cousine Olivia.

Levant la tête, Jim vit alors Olivia pour la première fois en pleine lumière. Ses yeux s'arrondirent comme deux écuelles.

Il recula vers la porte et s'enfuit dans la tempête, l'air épouvanté.

– Quel temps, hein ! dit aimablement papa Reginald à la cuisinière.

– Toujours comme ça quand *il* est en colère...

– *Il* ?... fit Horace.

Madame Cook ne répondit rien et disposa le thé. Remarquons que, d'ordinaire, la famille March était assez... hum... causante. Mais la fatigue du voyage réduisit, ce soir-là, ses bavardages à de simples cliquetis de cuillères.

– Qu'est-ce qu'on entend ? dit soudain Horace, levant en l'air un nez qui l'était déjà de nature.

On cessa instantanément tout mouvement de couverts et...

Stupeur ! Le cliquetis continua !

Madame Cook revint, une paire de chandeliers à bout de bras, sa face ronde décomposée.

– C'est *lui* ! gémit-elle, lugubre. Oh, je le savais ! *Il* est resté muet tout le temps que la maison était vide. Maintenant que vous êtes là…

– Mais enfin, de qui parlez-vous ? dit papa Reginald.

Madame Cook regarda le plafond. Ses chandeliers tremblaient.

– *Lui* ! *Lui* ! souffla-t-elle, le fantôme de Lord Aloysius Mac Bligh de Forest Lodge !

Ma vie, ma joie, te voilà, revenue !…

Shakespeare

Miss Noah poussa un cri et s'évanouit sur sa chaise. Grand-papa March ricana :

– Quelle farce ! claironna-t-il. Un revenant ? Hou ! Hou !

C'étaient ses premières paroles de la soirée et j'attendais ce moment pour vous dire que le grand-père d'Horace était un monsieur aux yeux vifs, qui avait ramené des colonies, la fâcheuse manie de bourrer sa lèvre de chique et cette autre, non moins fâcheuse, d'avaler un verre de liqueur des îles au petit déjeuner. Il n'allait certainement pas s'en laisser conter par un vulgaire fantôme !

Olivia agita un petit flacon bleu sous les narines de miss Noah. Mais la gouvernante revint à elle au moment où le fantôme mettait les bouchées doubles : elle s'empressa de s'évanouir derechef ! Madame Cook aurait bien aimé en faire autant…

Papa Reginald restait calme et sceptique. Quant à Horace, sa nouvelle maison lui paraissait fichtrement plus intéressante que l'ancienne.

Enfin, sans raison, cliquetis et coups cessèrent brusquement. Je dis

« sans raison », c'est-à-dire ni plus ni moins qu'ils n'en avaient eu de commencer…

Et, la soirée s'achevant dans un calme absolu, chacun embrassa chacun avant de monter se coucher.

Horace plongea sous ses draps, le visage tourné vers la fenêtre. Il ferma les yeux sur les étoiles.

En pleine nuit, Olivia s'éveilla. La pièce était noire, le feu éteint, le froid celui de l'enfer. Elle respirait très fort comme quand on se réveille dans la peur.

– Horace ? appela-t-elle, pensant que son petit cousin s'agitait lui aussi dans la chambre à côté.

Elle retint sa respiration parce

que ce bruit l'effrayait et, surtout, elle voulait surprendre le silence.

Mais le silence ne vint pas. D'où venait ce bruit et à qui appartenait cette respiration qu'elle entendait en ce moment même et qui n'était pas la sienne ?

Un rayon de lune pâle traversa les volets et la jeune fille, clouée de peur, put voir une ombre au milieu de la chambre !

L'ombre bougea, la lune l'éclaira en plein visage…

Mais pouvait-on appeler « visage » ce teint gris, ces yeux gris, ce front gris ?

– Tu sais qui je suis ! résonna une voix qui venait de loin, de bien plus loin que le fond de la pièce.

Le fantôme lui fit un signe. Poussée par cet appel, Olivia se leva. Une force étrange, irrésistible, la guidait. L'ombre la mena au couloir, puis à travers d'autres couloirs... Jusqu'à une porte de la tourelle de l'ouest.

Alors, adoptant une des lois de la relativité que le monde des Esprits avait découvertes avant le XXe siècle futur, le fantôme se coula dans un courant d'air et disparut.

Olivia ouvrit la porte. Dans une vaste salle aux murs couverts de livres, elle vit Horace debout devant un pupitre. Il contemplait, perplexe, un livre noir.

En silence, pieds nus, Olivia s'approcha.

– Que fais-tu là ? dit-elle.

Horace leva les yeux :

– Le fantôme m'a conduit ici. Vers ce livre. Regarde, on dirait que les lettres ont brûlé…

Olivia se pencha. Toutes les pages étaient blanches, sauf une. Elle lut :

Lorsqu'en ma forêt de marbre
Ma bien-aimée sera revenue
L'amour longtemps attendu
Réunira nos cœurs pleins de tourments.

– Qu'est-ce que ça veut dire ? demanda le petit garçon.

– Je ne sais pas, murmura Olivia en réprimant un frisson.

Tu ne peux venir à moi ;
c'est moi qui viens à toi.
Shakespeare

Le lendemain, tout le monde s'affaira à disposer les nouveaux meubles, à déplacer les anciens, à déballer les objets qui avaient été expédiés de la maison de Londres.

– Oh, dit Olivia. Ma harpe n'est pas encore arrivée. J'espère que le transporteur y fera attention !

Olivia jouait divinement de la harpe. Cet instrument qui ne pouvait voyager qu'en convoi spécial lui manquait déjà beaucoup.

– Monsieur March a dit qu'elle serait livrée demain, dit miss Noah.

– Patience, donc ! soupira Olivia. Horace, veux-tu m'aider à placer ce miroir sur le mur ?

Horace monta sur un siège, tous deux installèrent la grande glace à moulures dorées.

Et, puisque le hasard a bien voulu placer un miroir sur le chemin de notre histoire, arrêtons-nous un instant pour y surprendre Olivia.

La cousine d'Horace avait vingt ans tout juste. C'était une fort belle jeune fille aux cheveux de mousse d'or, mince comme une fleur, avec des yeux… Comment expliquer ? Disons que, s'il existe des chats aux yeux noirs, eh bien Olivia avait le regard des chats. Bien des jeunes gens de la bonne société de Londres l'avaient demandée en mariage, mais dans son beau regard rêveur vibrait une flamme tranquille quand elle répondait :

– C'est que… je ne suis pas encore prête !

Horace s'en réjouissait. Il n'était pas si pressé de voir sa gentille cousine quitter la famille.

Olivia était venue habiter chez eux quand ses parents étaient morts, il y avait de cela bien longtemps.

C'est Olivia qui reçut la seconde visite du fantôme. Mais avant, il me faut vous parler des étranges rencontres d'Horace.

La première rencontre eut lieu

dans une petite pièce de bois sombre, près de la bibliothèque.

Cet après-midi-là, Horace visitait les recoins de la nouvelle demeure (on peut même dire qu'il fouinait) quand il tomba sur cette petite pièce, un genre de bureau.

Tout de suite, un frisson d'horreur le cloua au parquet.

Là, devant lui, sur le mur, se dressait un homme, vêtu de velours rouge, qui le figeait de son œil brillant.

Lord Aloysius ! Il le reconnut immédiatement.

– Ce n'est qu'un tableau ! fit une voix derrière lui.

Olivia arrivait, les bras chargés de tissu pour les nouveaux rideaux.

Un tableau, oui. Mais quel regard terrible avait celui qui était devenu le fantôme ! Olivia elle-même s'arrêta devant le portrait. Elle devint toute rose puis toute pâle.

– Seigneur ! murmura-t-elle en fixant le visage qui la fixait. On pourrait croire qu'il nous voit vraiment ! Il est... magnifique !

Horace la regarda, surpris.

– Magnifique ? Tu trouves ? Moi, il me fait peur.

– Oh non ! dit Olivia. Cet homme a beaucoup souffert... Quelle expression de tristesse... Quelle douceur aussi...

Olivia ramassa vivement le tissu qui venait de glisser de ses bras.

– Pourquoi n'irais-tu pas te promener ? dit-elle.

– Avec toi ? dit Horace plein d'espoir.

– Oh, mais je ne peux pas, mon pauvre chéri. J'attends ce transporteur qui doit enfin livrer ma harpe !

Elle referma la petite pièce. Mais, avant, elle regarda une dernière fois le portrait de Lord Aloysius tout en disant :

– Demande à monsieur Cook de te prêter sa carriole et son cheval…

Dehors, une buée glacée montait des marais ; Horace rabattit son capuchon et dirigea le cheval vers un creux de vallon. Il cueillit des mûres dans un fossé où broutaient ces bizarres moutons d'Écosse, à la laine pendante.

Une silhouette parut derrière un muret de la lande.

C'était Jim, le garçon de l'auberge. Horace repensa aux fléchettes qui dépassaient de sa poche. C'était le moment de faire connaissance.

– Hello ! cria Jim.

Il portait toujours cette stupéfiante jupe écossaise. Comment pouvait-il courir dans les herbes sauvages sans s'écorner les genoux ?

Jim l'emmena dans les collines de genêts, lui montra un repaire de faisans, un torrent où glissait le

saumon. Il lui offrit même une des gommes qu'il aimait mâchouiller. Horace refusa poliment.

– Je dois rentrer, dit Horace après une partie de fléchettes où Jim fut imbattable.

Une pluie fine commençait à brouiller l'air de la lande.

– Je connais un raccourci, dit Jim en enfournant une nouvelle gomme dans sa bouche déjà bien occupée.

Ils reprirent la carriole en direction de Forest Lodge. La brume du soir s'enroulait autour des fougères et l'atmosphère lugubre les fit parler du fantôme.

– Tu le connais, ce Lord Aloysius Mac Bligh ? demanda Horace.

– Il y a cent ans, c'était un laird du comté. Tu… as vu son fantôme ? interrogea Jim, effaré.

– Il m'a même parlé ! Et toi, tu l'as déjà vu ?

Jim secoua sa tignasse, accablé.

– J'aimerais mieux avaler dix écuelles de bouillie d'avoine !

Le raccourci passait par un calvaire

de pierre, une grande croix surgie de la brume. Horace frémit.

– Je t'emmène au cimetière, dit Jim. Je veux te montrer quelque chose…

Un vol de corneilles noires traversa le brouillard silencieux.

– Le cimetière ? bredouilla Horace.

– Tu vas voir…

Oh ! Envoyez du secours
à ce seigneur en détresse !
Shakespeare

C'est dans le petit cimetière du village qu'Horace fit sa seconde étrange rencontre.

Sur les tombes, au-dessus des feuilles mortes, les croix de marbre dressaient leurs branches pâles. Horace sentait son cœur battre très fort.

Jim s'arrêta devant une tombe et pointa le doigt :

– Regarde !

Lentement, Horace se pencha. La pierre était simple, toute blanche.

Au milieu, il y avait un portrait en émail ovale, incrusté dans le marbre. Le portrait d'une jeune fille blonde, aux yeux mystérieux, qui tenait dans ses bras un bouquet de chrysanthèmes blancs.

Horace poussa un petit cri. La jeune fille ressemblait à cousine Olivia !

– Qui est-ce ? dit-il dans un recul.

– Lady Livia Mac Gillis, morte voilà cent ans... Elle était la fille d'un riche laird. Un jour qu'elle jouait de la harpe près de sa fenêtre, Lord Aloysius la vit et tomba amoureux d'elle. Et elle l'aima follement aussi. Mais il leur était interdit de se marier.

– Pourquoi ? chuchota Horace, le cœur noué.

– Le clan des Mac Gillis et le clan des Mac Bligh se haïssaient. Ils étaient ennemis depuis des siècles.

Jim soupira un petit nuage de buée blanche.

– Une triste histoire... Ils se voyaient en cachette mais, un jour, le père de Lady Livia les découvrit. Il enferma sa fille dans une tour. Lord Aloysius tenta de la délivrer... hélas, il fut trahi. Alors le père Mac Gillis cacha sa fille en Angleterre, à Londres. La pauvre Lady Livia y mourut de chagrin.

– Et... Lord Aloysius ?

– Il devint fou de douleur. Il tua le père Mac Gillis en duel. Et comme sa bien-aimée était enterrée à Londres, il dressa cette pierre ici, en souvenir, et fit peindre ce portrait par un artiste d'Édimbourg.

– Mais alors… cette tombe est… vide ?

– Oui. Le corps de Lady Livia repose toujours à Londres. Le soir même où le peintre achevait ce portrait, Lord Aloysius but une coupe de poison. Et son âme tourmentée hante désormais Forest Lodge…

La nuit tombait, il fallait rentrer. Horace prit la route de Forest Lodge et Jim, celle de l'auberge.

À son arrivée, une odeur de crêpes accueillit Horace.

– Je commençais à m'inquiéter ! s'écria Olivia du fond du salon.

Il s'élança pour l'embrasser… Il s'arrêta net.

– Qu'est-ce qu'il y a ? dit Olivia qui disposait des fleurs dans un vase. Ce ne sont que des chrysanthèmes ! Il y en a plein derrière le puits. Ils sont superbes, non ? Et blancs… comme je les aime !

Horace regarda Olivia et devint tout pâle. C'est que, avec ce bouquet nacré, sa blondeur, son sourire, Olivia semblait tout droit sortie du portrait sur la tombe !

La vieille horloge du premier étage craqua de toute sa carcasse de bois. Bientôt minuit et tout le monde dormait… Par les petits trous à clefs qui lui servaient d'yeux, la vieille horloge voyait ce que les humains ne voient pas… Pourtant, sa bonne figure ronde indiquait l'heure sans faillir.

Mais cette nuit, elle aurait voulu accélérer le Temps… Vite ! Vite ! Secouer son balancier, avertir la famille des drôles de choses qui se tramaient dans les couloirs de cette nouvelle maison !

Avant, à Londres, elle n'était pas isolée comme ici ! À Londres, elle était en compagnie d'une console d'acajou et d'une table fourre-tout avec qui elle avait de longues conversations. (Les meubles se parlent, ne saviez-vous pas ? Et les craquements que vous entendez, la nuit, qu'est-ce que c'est, à votre avis ?) Là, elle était bien seule...

Pas tout à fait. Il y avait cette ombre, cet homme en habit de velours rouge au regard affreusement triste... Il allait, il venait, disparaissait dans les murs, traversait les plafonds... sans se douter qu'elle, la vieille pendule, l'observait !

Allons ! Plus que trente secondes et elle lancerait ses douze coups. Peut-être lui ferait-elle peur ? (Mais, cet homme-là n'avait pas l'air de craindre grand-chose !)

Minuit… la vieille pendule s'étira, crissa, frissonna… Dong, dong, dong, dong… Douze ! Voilà. Une heure de repos, maintenant.

Une vision d'horreur fit, soudain, grincer son corps de bois. L'homme en rouge venait de se glisser dans la chambre d'Olivia !

Je ne suis pas un lépreux infect.
Regarde-moi.

Shakespeare

La voix pénétra Olivia. Une voix douce, chuchotée.

– Tu es là, murmurait la voix. Enfin là… Je t'ai attendue si longtemps, ô Livia…

Un souffle frais caressa Olivia qui n'était pas endormie, qui n'était pas éveillée.

– Qui êtes-vous ? murmura-t-elle, les yeux clos.

– Tu ne me reconnais pas ? dit le fantôme.

Un frisson délicieux tira Olivia de son rêve. Était-ce un rêve…

Une main glissait sur son épaule nue.

Elle s'assit, frémissante.

– N'aie pas peur, ô Livia, n'aie pas peur…

Olivia remonta sa chemise sur l'épaule et regarda l'homme en habit rouge.

– Vous… êtes… le portrait ! souffla-t-elle.

Il avait un sourire très doux, très tendre.

– Regarde-moi, dit-il. Je suis tel que lorsque tu es partie. Le temps n'a pas de prise sur moi… ni sur toi. Ô Livia, ne sens-tu pas cette joie qui est en nous ?

– J'ai froid, dit Olivia d'une toute petite voix.

– C'est un froid nécessaire. Si tu oses l'affronter… Une chaleur nouvelle baignera ton cœur… Et nous nous retrouverons. Pour l'Éternité, cette fois…

Il se pencha sur son front, puis sur ses lèvres et Olivia eut la sensation d'un rayon de lune.

C'était le baiser du fantôme.

– Horace ! Expliquez-nous le triangle isocèle !

Miss Noah frappa le bureau du bout de sa règle. Horace se tortilla. Satané triangle ! Il se leva péniblement pour aller au tableau. Il se mit à bafouiller sous l'œil noir de miss

Noah. Il chercha du secours du côté de grand-papa March, mais celui-ci dormait, comme d'habitude, au fond de son fauteuil. De temps à autre, il ouvrait une paupière large comme celle d'une tortue, promenait sa chique d'une mâchoire à l'autre et se rendormait illico.

– Eh bien ! articula la gouvernante d'un ton aussi sec que du papier sec. Allez vous rafraîchir l'esprit dans le couloir. Vous reviendrez quand vous serez disposé à m'écouter, monsieur Horace March !

Grand-papa March ouvrit sa paupière de tortue, grogna et se rendormit. Horace quitta la salle.

Dans le couloir, il fit quelques allers-retours pour se dégourdir les mollets, sous la figure amicale de la vieille pendule. Puis, de peur d'avoir à fournir des explications gênantes si son père venait à passer, Horace courut vers le petit bureau au portrait de Lord Aloysius.

Là, Olivia jouait sur sa harpe fraîchement arrivée de Londres.

– Tiens, tu n'es pas avec miss Noah ? dit-elle sans arrêter sa musique.

Quand Horace avoua qu'il avait été renvoyé, cousine Olivia adressa un petit sourire aux cordes de son instrument. Il s'assit et se mit à écouter.

Irrésistiblement, son regard se tourna vers le portrait qui emplissait le mur. Et… cela lui parut tout à fait invraisemblable : le regard de Lord Aloysius vivait ! Il avait un air… une expression…

Tout à coup, c'était comme s'il y avait eu une troisième personne avec eux ! Une personne en chair et en os. Jamais Olivia n'avait joué avec une telle émotion ! On aurait dit qu'elle appelait et que le portrait entendait.

Horace était mal à l'aise. Il avait l'impression de se trouver là où il n'aurait pas dû être.

Quand le regard d'Olivia effleura le portrait, il y avait au fond de ses pupilles une flamme secrète qui brûlait jusqu'à ses joues.

– Tu devrais retourner avec miss Noah, murmura Olivia.

Horace obéit en silence.

Mais il ne put s'intéresser davantage au triangle isocèle. Il n'arrivait pas à oublier le sourire d'Olivia, ni le regard du portrait. Ce sourire qui *voyait*. Ce regard qui *écoutait*.

Dans la nuit, Horace se réveilla brusquement. Il se dressa sur son lit.

Il entendait des notes de musique… La harpe d'Olivia ! Quelle mouche la piquait de jouer quand tout le monde dormait ?

En chemise et pantoufles, il se glissa hors de sa chambre. D'instinct, il se faufila jusqu'au petit bureau au portrait.

La porte était entrouverte sur une lueur de chandelle. Horace n'entra pas, il se posta derrière le battant, laissant juste passer son regard. Les doigts d'Olivia promenaient leur souffle léger sur la harpe.

– Pourquoi toujours me faire jouer cet air ? dit-elle soudain.

– Ô Livia ! Je ne t'y oblige pas. Seul ton cœur t'y pousse… C'était notre air, te souviens-tu ?

Olivia parlait avec le fantôme de Lord Aloysius !

– Non… Je ne me souviens pas… Ce que je sais, c'est ma joie lorsque je joue pour vous… murmura Olivia.

– Oh ma douce, ô Livia ! Viens ! Suis-moi… Je te promets un bonheur que jamais ne te donnera ce monde où tu es…

La flamme de la bougie trembla.

– J'ai peur… Si peur que vous ne soyez pas réel…

– Si tu franchis le mur invisible du Temps, nous serons de la même matière… Rejoins-moi, ô Livia, rejoins-moi !

Il y eut un silence qui épouvanta Horace. Sans réfléchir, il poussa la porte :

– Olivia ! Non ! Ne pars pas !

À la lumière de la bougie, Olivia avait la pâleur de la mort. Horace ne vit personne d'autre dans la pièce. Personne. Il n'y avait que le portrait.

Olivia parut sortir d'un rêve. Elle s'agenouilla et enlaça Horace :

– Partir ? chuchota-t-elle. Non, non…

Mais quelque chose dans le visage d'Olivia n'était déjà plus là.

– Allons, venez-vous ?
– Je vous suis, milord.
Shakespeare

Il y eut un orage épouvantable, le lendemain. Les collines se hérissaient comme des chats furieux.

Madame Cook déboula tel un diable dans le salon :

– Monsieur March ! Monsieur Horace ! Vite, miss Olivia est toute bizarre !

Dans le petit bureau, debout devant la fenêtre ouverte, Olivia contemplait le paysage hurlant de la tempête. Plus précisément, elle fixait un point de la lande.

– Olivia… balbutia Horace.

Olivia se tourna, sans les voir, se dirigea vers le bouquet de chrysanthèmes posé sur une table. Elle prit une fleur dans sa main et regarda le portrait de Lord Aloysius.

Soudain, un léger sourire aux lèvres et sans quitter le tableau des yeux, Olivia mordit la fleur. Les pétales tombèrent de sa bouche, comme des flèches blanches.

Puis, très normalement, elle dit :

– Cette vieille pendule du couloir… Elle me paraît bien triste. Je vais demander à monsieur Cook de placer le secrétaire à côté.

La tempête dura tout le jour.

Dans l'après-midi, Olivia déroula des pelotes de laine en un écheveau qu'Horace tenait entre ses mains écartées.

À cinq heures, subitement, elle laissa tomber la laine, leva le visage, tel un chat aux aguets. Elle soupira vers la fenêtre.

– Qu'y a-t-il ? demanda Horace, angoissé.

Olivia se leva sans répondre, enfila sa cape et ouvrit la porte sur l'orage.

– Où vas-tu ? cria Horace.

La silhouette d'Olivia plongea dans l'ouragan. Horace la suivit en

courant. Il faisait presque nuit. Olivia marchait vite. Elle avait l'air de flotter dans le vent.

Sous la pluie en furie, il vit des arbres se dessiner en contre-jour et Olivia qui accélérait.

– Oh ! Par saint George et saint Hubert réunis ! s'écria-t-il les larmes aux yeux. C'est… C'est…

Ce n'étaient pas des arbres. C'étaient les croix du cimetière.

– Par saint George… s'écria-t-il en comprenant. Des arbres de marbre… La forêt de marbre !

Lorsqu'en ma forêt de marbre
Ma bien-aimée sera revenue
L'amour longtemps attendu
Réunira nos cœurs pleins de tourments.

Le tonnerre emporta le cri d'Horace à travers la lande. Dans un brouillard d'éclairs, les tombes étiraient leurs branches de pierre froide. Olivia avait disparu.

Il hurla :

– Olivia ! Olivia !...

Le fracas de l'orage couvrait sa voix. Il chercha, chercha dans les allées, pas de traces d'Olivia...

Trempé, fatigué, il s'assit sur une tombe.

Ses doigts touchèrent quelque chose. Une masse noire couvrait le marbre : la cape d'Olivia !

Horace regarda la tombe, comme un perdu. Alors, il se mit à trembler.

C'était la tombe de Lady Livia Mac Gillis.

On organisa une battue de trente personnes, neuf chiens furent lancés sur la piste. Les recherches durèrent six jours.

Personne ne revit Olivia. Ni ce soir-là, ni le lendemain, ni jamais.

Personne. Sauf…

Sur ce, bonsoir vous tous.
Shakespeare

La vieille horloge du premier étage craqua de toute sa carcasse de bois. Bientôt minuit... Par les petits trous à clefs qui lui servaient d'yeux, la vieille horloge voyait ce que les humains ne voient pas...

Elle voyait ces deux ombres, ces deux fantômes.

Légers, légers, ils se tenaient la main, traversaient les murs et les plafonds en jouant à cache-cache. L'homme en habit rouge et sa fiancée qu'il appelait « Livia, ma Livia ! ».

Entre deux baisers, deux éclats de rire.

Plus que trente secondes et elle sonnerait ses douze coups.

Mais, pour ces deux-là, les heures n'avaient plus d'importance…

L'amour les avait réunis à travers le Temps.

La vieille pendule se permit un sourire attendri : une seconde, les aiguilles de sa bonne face ronde indiquèrent dix heures dix…

Mais vite, elle reprit son sérieux et les remit bien droites sur le douze.

Minuit… Dong, dong, dong, dong, dong…